This book belongs to

_____

THE RANT JOURNAL

A POSITIVITY-FREE ZONE

TODAY'S RANT IS ABOUT...

_____
_____
_____

I'M **ANGRY** BECAUSE...

_____
_____
_____
_____

IT MAKES ME **FEEL** LIKE.....

_____
_____
_____
_____
_____
_____

ANGRY **SCRIBBLE** SPACE

TODAY'S RANT IS ABOUT...

_____
_____
_____
_____

I'M **ANGRY** BECAUSE...

_____
_____
_____
_____

IT MAKES ME **FEEL** LIKE.....

_____
_____
_____
_____
_____
_____

ANGRY **SCRIBBLE** SPACE

TODAY'S RANT IS ABOUT...

_____
_____
_____
_____

I'M **ANGRY** BECAUSE...

_____
_____
_____
_____

IT MAKES ME **FEEL** LIKE.....

_____
_____
_____
_____
_____
_____

ANGRY **SCRIBBLE** SPACE

TODAY'S RANT IS ABOUT...

_____
_____
_____

I'M **ANGRY** BECAUSE...

_____
_____
_____

IT MAKES ME **FEEL** LIKE.....

_____
_____
_____
_____
_____

ANGRY **SCRIBBLE** SPACE

TODAY'S RANT IS ABOUT...

_____
_____
_____
_____

I'M **ANGRY** BECAUSE...

_____
_____
_____
_____

IT MAKES ME **FEEL** LIKE.....

_____
_____
_____
_____
_____
_____

ANGRY **SCRIBBLE** SPACE

TODAY'S RANT IS ABOUT...

_____
_____
_____
_____

I'M **ANGRY** BECAUSE...

_____
_____
_____
_____

IT MAKES ME **FEEL** LIKE.....

_____
_____
_____
_____
_____
_____

ANGRY **SCRIBBLE** SPACE

TODAY'S RANT IS ABOUT...

_____
_____
_____
_____

I'M **ANGRY** BECAUSE...

_____
_____
_____
_____

IT MAKES ME **FEEL** LIKE.....

_____
_____
_____
_____
_____
_____

ANGRY **SCRIBBLE** SPACE

TODAY'S RANT IS ABOUT...

_____
_____
_____
_____

I'M **ANGRY** BECAUSE...

_____
_____
_____
_____

IT MAKES ME **FEEL** LIKE.....

_____
_____
_____
_____
_____
_____

ANGRY **SCRIBBLE** SPACE

TODAY'S RANT IS ABOUT...

I'M **ANGRY** BECAUSE...

IT MAKES ME **FEEL** LIKE.....

ANGRY **SCRIBBLE** SPACE

TODAY'S RANT IS ABOUT...

_____
_____
_____
_____

I'M **ANGRY** BECAUSE...

_____
_____
_____
_____

IT MAKES ME **FEEL** LIKE.....

_____
_____
_____
_____
_____
_____

ANGRY **SCRIBBLE** SPACE

TODAY'S RANT IS ABOUT...

I'M **ANGRY** BECAUSE...

IT MAKES ME **FEEL** LIKE.....

ANGRY **SCRIBBLE** SPACE

TODAY'S RANT IS ABOUT...

_____
_____
_____
_____

I'M **ANGRY** BECAUSE...

_____
_____
_____
_____

IT MAKES ME **FEEL** LIKE.....

_____
_____
_____
_____
_____
_____
_____

ANGRY **SCRIBBLE** SPACE

TODAY'S RANT IS ABOUT...

I'M **ANGRY** BECAUSE...

IT MAKES ME **FEEL** LIKE.....

ANGRY **SCRIBBLE** SPACE

TODAY'S RANT IS ABOUT...

_____
_____
_____
_____

I'M **ANGRY** BECAUSE...

_____
_____
_____
_____

IT MAKES ME **FEEL** LIKE.....

_____
_____
_____
_____
_____
_____

ANGRY **SCRIBBLE** SPACE

TODAY'S RANT IS ABOUT...

I'M **ANGRY** BECAUSE...

IT MAKES ME **FEEL** LIKE.....

ANGRY **SCRIBBLE** SPACE

TODAY'S RANT IS ABOUT...

_____
_____
_____
_____

I'M **ANGRY** BECAUSE...

_____
_____
_____
_____

IT MAKES ME **FEEL** LIKE.....

_____
_____
_____
_____
_____
_____

ANGRY **SCRIBBLE** SPACE

TODAY'S RANT IS ABOUT...

_____
_____
_____
_____

I'M **ANGRY** BECAUSE...

_____
_____
_____
_____

IT MAKES ME **FEEL** LIKE.....

_____
_____
_____
_____
_____
_____

ANGRY **SCRIBBLE** SPACE

TODAY'S RANT IS ABOUT...

_____
_____
_____
_____

I'M **ANGRY** BECAUSE...

_____
_____
_____
_____

IT MAKES ME **FEEL** LIKE.....

_____
_____
_____
_____
_____
_____

ANGRY **SCRIBBLE** SPACE

TODAY'S RANT IS ABOUT...

I'M **ANGRY** BECAUSE...

IT MAKES ME **FEEL** LIKE.....

ANGRY **SCRIBBLE** SPACE

TODAY'S RANT IS ABOUT...

_____
_____
_____
_____

I'M **ANGRY** BECAUSE...

_____
_____
_____
_____

IT MAKES ME **FEEL** LIKE.....

_____
_____
_____
_____
_____
_____

ANGRY **SCRIBBLE** SPACE

TODAY'S RANT IS ABOUT...

I'M **ANGRY** BECAUSE...

IT MAKES ME **FEEL** LIKE.....

ANGRY **SCRIBBLE** SPACE

TODAY'S RANT IS ABOUT...

_____
_____
_____

I'M **ANGRY** BECAUSE...

_____
_____
_____
_____

IT MAKES ME **FEEL** LIKE.....

_____
_____
_____
_____
_____
_____

ANGRY **SCRIBBLE** SPACE

TODAY'S RANT IS ABOUT...

_____
_____
_____
_____

I'M **ANGRY** BECAUSE...

_____
_____
_____
_____

IT MAKES ME **FEEL** LIKE.....

_____
_____
_____
_____
_____
_____

ANGRY **SCRIBBLE** SPACE

TODAY'S RANT IS ABOUT...

_____
_____
_____
_____

I'M **ANGRY** BECAUSE...

_____
_____
_____
_____

IT MAKES ME **FEEL** LIKE.....

_____
_____
_____
_____
_____
_____
_____

ANGRY **SCRIBBLE** SPACE

TODAY'S RANT IS ABOUT...

_____
_____
_____
_____

I'M ANGRY BECAUSE...

_____
_____
_____
_____

IT MAKES ME FEEL LIKE.....

_____
_____
_____
_____
_____

ANGRY **SCRIBBLE** SPACE

TODAY'S RANT IS ABOUT...

_____
_____
_____
_____

I'M **ANGRY** BECAUSE...

_____
_____
_____
_____

IT MAKES ME **FEEL** LIKE.....

_____
_____
_____
_____
_____
_____

ANGRY **SCRIBBLE** SPACE

TODAY'S RANT IS ABOUT...

I'M **ANGRY** BECAUSE...

IT MAKES ME **FEEL** LIKE.....

ANGRY **SCRIBBLE** SPACE

TODAY'S RANT IS ABOUT...

_____
_____
_____

I'M **ANGRY** BECAUSE...

_____
_____
_____
_____

IT MAKES ME **FEEL** LIKE.....

_____
_____
_____
_____
_____

ANGRY **SCRIBBLE** SPACE

TODAY'S RANT IS ABOUT...

_____
_____
_____
_____

I'M **ANGRY** BECAUSE...

_____
_____
_____
_____

IT MAKES ME **FEEL** LIKE.....

_____
_____
_____
_____
_____
_____
_____

ANGRY **SCRIBBLE** SPACE

TODAY'S RANT IS ABOUT...

_____
_____
_____

I'M **ANGRY** BECAUSE...

_____
_____
_____
_____

IT MAKES ME **FEEL** LIKE.....

_____
_____
_____
_____
_____
_____

ANGRY **SCRIBBLE** SPACE

TODAY'S RANT IS ABOUT...

_____
_____
_____

I'M **ANGRY** BECAUSE...

_____
_____
_____

IT MAKES ME **FEEL** LIKE.....

_____
_____
_____
_____
_____

ANGRY **SCRIBBLE** SPACE

TODAY'S RANT IS ABOUT...

_____
_____
_____
_____

I'M **ANGRY** BECAUSE...

_____
_____
_____
_____

IT MAKES ME **FEEL** LIKE.....

_____
_____
_____
_____
_____
_____
_____

ANGRY **SCRIBBLE** SPACE

TODAY'S RANT IS ABOUT...

_____
_____
_____

I'M **ANGRY** BECAUSE...

_____
_____
_____

IT MAKES ME **FEEL** LIKE.....

_____
_____
_____
_____
_____

ANGRY **SCRIBBLE** SPACE

TODAY'S RANT IS ABOUT...

_____
_____
_____
_____

I'M **ANGRY** BECAUSE...

_____
_____
_____
_____

IT MAKES ME **FEEL** LIKE.....

_____
_____
_____
_____
_____
_____

ANGRY **SCRIBBLE** SPACE

TODAY'S RANT IS ABOUT...

I'M **ANGRY** BECAUSE...

IT MAKES ME **FEEL** LIKE.....

ANGRY **SCRIBBLE** SPACE

TODAY'S RANT IS ABOUT...

_____
_____
_____
_____

I'M **ANGRY** BECAUSE...

_____
_____
_____
_____

IT MAKES ME **FEEL** LIKE.....

_____
_____
_____
_____
_____
_____
_____

ANGRY **SCRIBBLE** SPACE

TODAY'S RANT IS ABOUT...

_____
_____
_____
_____
_____

I'M **ANGRY** BECAUSE...

_____
_____
_____
_____
_____

IT MAKES ME **FEEL** LIKE.....

_____
_____
_____
_____
_____
_____
_____

ANGRY **SCRIBBLE** SPACE

TODAY'S RANT IS ABOUT...

_____
_____
_____
_____

I'M **ANGRY** BECAUSE...

_____
_____
_____
_____

IT MAKES ME **FEEL** LIKE.....

_____
_____
_____
_____
_____
_____

ANGRY **SCRIBBLE** SPACE

TODAY'S RANT IS ABOUT...

_____
_____
_____
_____

I'M **ANGRY** BECAUSE...

_____
_____
_____
_____

IT MAKES ME **FEEL** LIKE.....

_____
_____
_____
_____
_____

ANGRY **SCRIBBLE** SPACE

TODAY'S RANT IS ABOUT...

_____
_____
_____
_____

I'M **ANGRY** BECAUSE...

_____
_____
_____
_____

IT MAKES ME **FEEL** LIKE.....

_____
_____
_____
_____
_____

ANGRY **SCRIBBLE** SPACE

TODAY'S RANT IS ABOUT...

_____
_____
_____
_____

I'M **ANGRY** BECAUSE...

_____
_____
_____
_____

IT MAKES ME **FEEL** LIKE.....

_____
_____
_____
_____
_____

ANGRY **SCRIBBLE** SPACE

TODAY'S RANT IS ABOUT...

_____
_____
_____
_____

I'M **ANGRY** BECAUSE...

_____
_____
_____
_____

IT MAKES ME **FEEL** LIKE.....

_____
_____
_____
_____
_____
_____

ANGRY **SCRIBBLE** SPACE

TODAY'S RANT IS ABOUT...

I'M **ANGRY** BECAUSE...

IT MAKES ME **FEEL** LIKE.....

ANGRY **SCRIBBLE** SPACE

TODAY'S RANT IS ABOUT...

_____
_____
_____
_____

I'M **ANGRY** BECAUSE...

_____
_____
_____
_____

IT MAKES ME **FEEL** LIKE.....

_____
_____
_____
_____
_____
_____

ANGRY **SCRIBBLE** SPACE

TODAY'S RANT IS ABOUT...

I'M **ANGRY** BECAUSE...

IT MAKES ME **FEEL** LIKE.....

ANGRY **SCRIBBLE** SPACE

TODAY'S RANT IS ABOUT...

_____
_____
_____
_____

I'M **ANGRY** BECAUSE...

_____
_____
_____
_____

IT MAKES ME **FEEL** LIKE.....

_____
_____
_____
_____
_____
_____

ANGRY **SCRIBBLE** SPACE

TODAY'S RANT IS ABOUT...

I'M **ANGRY** BECAUSE...

IT MAKES ME **FEEL** LIKE.....

ANGRY **SCRIBBLE** SPACE

TODAY'S RANT IS ABOUT...

_____
_____
_____
_____

I'M **ANGRY** BECAUSE...

_____
_____
_____
_____

IT MAKES ME **FEEL** LIKE.....

_____
_____
_____
_____
_____
_____

ANGRY **SCRIBBLE** SPACE

Printed in Great Britain
by Amazon

43112982R00056